For Anna, who always laughs at my jokes.
Well, usually.
L.C.

To my young grandma, with love.
J.N.

Nota Aclaratoria:
La palabra Chita se ha utilizado como un nombre propio en esta historia
para que el chiste al final del libro tenga sentido.

Text copyright © 1993 Lindsay Camp
Illustrations copyright © 1993 Jill Newton
Dual language text copyright © 2008 Mantra Lingua
Audio copyright © 2008 Mantra Lingua
This edition 2012

Printed in Hatfield,UK FP300612PB08124601

Mantra Lingua
Global House
303 Ballards Lane, London N12 8NP
www.mantralingua.com
www.talkingpen.co.uk

Alcanzando a Chita

Keeping Up With Cheetah

Written by Lindsay Camp
Illustrated by Jill Newton

Spanish translation by
Marta Belen Saez-Cabero

Mantra Lingua

A Chita y al Hipopótamo les encantaba contar chistes. Bueno, la verdad es que era Chita la que contaba los chistes. El Hipopótamo se limitaba a escuchar y a reírse a carcajada tendida.
Los chistes no eran muy buenos, pero al Hipopótamo le hacían mucha gracia.
Y por este motivo eran tan buenos amigos.

Cheetah and Hippopotamus loved telling jokes.
Actually, Cheetah told the jokes. Hippopotamus just listened and laughed – a deep, bellowy laugh.
The jokes weren't very funny, but Hippopotamus thought they were.
And that's why they were such good friends.

Pero había una cosa del Hipopótamo que molestaba a
Chita – el Hipopótamo no podía correr muy rápido.

But one thing about Hippopotamus
annoyed Cheetah – Hippopotamus
couldn't run very fast.

"Vamos, Hipopótamo", le gritaba Chita con impaciencia. "Si no puedes alcanzarme, te perderás mi nuevo chiste".

"Come on Hippopotamus," Cheetah would shout impatiently. "If you can't keep up with me, you won't hear my new joke."

Pero no servía de nada. El Hipopótamo no podía correr tan rápido como Chita. Así que Chita se hizo amiga del Avestruz.
Al Hipopótamo le entraron ganas de llorar. Pero, en vez de eso, empezó a entrenarse para ser más rápido: corrió y corrió hasta que se quedó sin aliento y tuvo que tumbarse.

But it was no good. Hippopotamus couldn't run as fast as Cheetah. So Cheetah made friends with Ostrich instead. Hippopotamus felt like crying. But, instead, he practised running until he was so out of breath that he had to lie down.

Y entonces supo que ni aun
así podría alcanzar a Chita.

And he knew he still couldn't
keep up with Cheetah.

El Avestruz sí podía – bueno, casi. Chita pensó qué lista
había sido al haber hecho un amigo tan bueno.
"¿Te gustaría oír mi nuevo chiste, Avestruz?", preguntó.

Ostrich could – very nearly, anyway. Cheetah thought how
clever he was to have made such a good new friend.
"Would you like to hear my new joke, Ostrich?" he asked.

"No, gracias", dijo el Avestruz. "No me gustan los chistes. Corramos un poco más".

"No thank you," said Ostrich. "I don't like jokes. Let's run some more."

Chita ya había corrido suficiente por ese día. Quería contar chistes. Así que se hizo amiga de la Jirafa. Ahora el Hipopótamo estaba todavía más decidido a correr tan rápido como Chita.

Cheetah had run enough for one day. He wanted to tell jokes. So he made friends with Giraffe instead. Now Hippopotamus was even more determined to run as fast as Cheetah.

Así que se escondió y observó a la Jirafa y a Chita galopar. La Jirafa
volaba por delante con sus largas patas y Chita movía su rabo de lado
a lado para mantener el equilibrio.

So he hid and watched as Giraffe and Cheetah galloped by.
Giraffe's long legs flew out in front and Cheetah lashed
his tail from side to side to keep his balance.

Entonces el Hipopótamo intentó hacer lo mismo.
No era fácil.

Then Hippopotamus tried to do the same.
It wasn't easy.

El Hipopótamo se cayó con gran estrépito:
¡CATAPLUM!
Pasaría mucho tiempo antes de que
pudiera alcanzar a Chita.

Hippopotamus fell down with a CRASH!
It would be a long time before he could
keep up with Cheetah.

La Jirafa sí podía –
bueno, casi.

Giraffe could – very
nearly, anyway.

"¿Te gustaría oír mi nuevo chiste, Jirafa?", preguntó Chita.
"¿Disculpa?", dijo la Jirafa. "Desde aquí arriba no te oigo".
"¿De qué sirve tener un amigo que ni siquiera escucha tus chistes?", pensó Chita con enojo.

"Would you like to hear my new joke, Giraffe?" Cheetah asked.
"Pardon?" said Giraffe. "I can't hear you from up here."
"What's the good of a friend who doesn't even listen
to your jokes?" thought Cheetah crossly.

Y entonces se hizo amiga de la Hiena.
Cuando el Hipopótamo vio esto, se sintió muy molesto y enfadado.
Sólo había una cosa que le haría sentirse bien.

And he made friends with Hyena instead.
When Hippopotamus saw this, he felt hot and bothered.
There was only one thing that would make him feel better.

Un buen y largo revolcón en una charca de barro bien profunda.
Al Hipopótamo le encantaba revolcarse en el barro. Cuanto más profunda y más embarrada fuera la charca, más le gustaba. Pero hacía mucho tiempo que no se pegaba un revolcón, porque Chita le había dicho que eso era muy sucio.

A good, long, deep, muddy wallow.
Hippopotamus loved wallowing. The deeper, the muddier, the more he enjoyed it. But he hadn't had a wallow for a long time, because Cheetah said it was dirty.

"Bueno", pensó el Hipopótamo, "ahora puedo hacer lo que yo quiera". Y se zambulló en el río – ¡SPLASH! ¡Qué maravilla!

"Well," thought Hippopotamus, "I can do what I like."
And he dived into the river – SPLOOSH!
It felt wonderful.

Mientras estaba ahí tumbado, pensó en lo tonto que había sido.
Él no podía correr deprisa, pero podía revolcarse en el barro. Y aunque le
apenaba perder a una amiga, sabía que nunca sería capaz de alcanzar a Chita.

As he lay there, he thought how silly he'd been. He couldn't run fast,
but he could wallow. And although he was sad to lose a friend,
he knew that he would never be able to
keep up with Cheetah.

La Hiena sí podía – bueno, casi. Chita estaba muy contenta.
"Toc toc", dijo Chita.
"¡Jiii-jiii-jiii-jiii!", dijo la Hiena.

Hyena could – very nearly, anyway. Cheetah was very pleased.
"Knock knock," said Cheetah.
"Ha-hee-he-heeee!" said Hyena.

"Se supone que tienes que decir: '¿Quién llama?'", le espetó Chita. "¿De qué me sirve contarte mi nuevo chiste si te ríes antes de que llegue a la parte graciosa?"
"¡JIII-III-JIII-JIII-JIII!", gritó la Hiena.

"You're supposed to say, 'Who's there?' " snapped Cheetah. "What's the point of telling my new joke, if you laugh before I get to the funny bit?"
"HAH-EH-HEH-HEE-HEE!" screamed Hyena.

Entonces Chita se dio cuenta de que lo que realmente necesitaba era otro tipo de amigo. Podía correr sola, pero contar chistes sólo era divertido si alguien la escuchaba – y se reía sólo cuando tenía que reírse. ¿Dónde podría encontrar a un amigo así?

Then Cheetah realised that what he really needed was a different sort of friend. He could run by himself, but telling jokes was only fun if someone listened – and only laughed at the funny bits. Where could he find a friend like that?

¡Ya lo tenía! Chita corrió hacia la sombra del árbol, pero el Hipopótamo no estaba ahí. Mientras Chita se alejaba lentamente, pensó en lo tonta que había sido por perder a un amigo tan bueno.

He already had one! Cheetah ran to the shady tree but Hippopotamus wasn't there. As Cheetah walked slowly away, he thought how silly he had been to lose such a good friend.

De repente vio un par de ojos que
le observaban desde el río.

Suddenly he saw a pair of eyes
watching him from the river.

"Toc toc", dijo Chita.
"¿Quién llama?", dijo el Hipopótamo.
"J-iiita, ¡quién si no!", dijo Chita.
Y el Hipopótamo rio y rio.

"Knock knock," said Cheetah.
"Who's there?" said Hippopotamus.
"H-eetah, of course!" said Cheetah.
And Hippopotamus laughed
and laughed.